D1314012

RACONTÉ PAR
CHARLIE MEUNIER
IMPRIMÉ EN FRANCE
PRODUIT COMPLET POLLINA
DÉPÔT LÉGAL MAI 2005
46.06.1029-1/06 - ISBN 2.230.00382.8
LOI N°49.956 DU 16 JUILLET 1949
SUR LES PUBLICATIONS
DESTINÉES À LA JEUNESSE

Cendrillon

Il était une fois un gentilhomme au grand cœur, dont la fille était la plus jolie qui soit. Sa femme mourut fort jeune, le laissant seul avec la petite Cendrillon. Il décida alors de se remarier avec une veuve des environs. Afin, disait-il, que sa fille ait une seconde maman. Sa nouvelle épouse avait elle-même deux méchantes filles, deux laiderons, nommées Javotte et Anastasie, du même âge que Cendrillon.

Pendant quelque temps, la vie se déroula paisiblement au manoir, jusqu'au jour où le gentilhomme fut emporté par un mal mystérieux.

Demeurée seule avec sa belle-mère et ses filles, Cendrillon dut dormir dans une tour pleine de courants d'air, puis on congédia tous les serviteurs et on l'accabla de corvées. La marâtre confisqua tout ce que son père lui avait offert et en fit don à ses propres enfants. Cendrillon se sentait abandonnée et menait une vie misérable. Pourtant elle était gaie, toujours disposée à rire avec ses amis les animaux.

« Réveille-toi, ma jolie ! chantaient les oiseaux. Le soleil est déjà levé, il n'attend plus que toi pour briller de tous ses feux...

– J'arrive ! Mais je faisais un si beau rêve que j'ai bien du mal à l'oublier… »

« Voilà, je suis prête ! Prête à me mettre au travail, n'est-ce pas, les amis ? Mais qu'avez-vous ce matin ? Si vous voulez vous faire comprendre, parlez moins vite et chacun à votre tour ! » dit Cendrillon à deux souriceaux qui s'agitaient en tous sens.

« Cendrillon, il y a un souriceau coincé dans la souricière. Il faut le délivrer de toute urgence ! » supplia celui qu'on appelait Jaq.

Cendrillon se précipita dans l'escalier.

« Eh bien ! mon pauvre petit, murmura-t-elle en attrapant le souriceau terrorisé au fond de son piège, n'aie plus peur, te voilà sauvé, maintenant. Nous allons te donner un nom. Voyons, je te propose… Gustave ! Et comme c'est un peu trop long, ce sera Gus ! Qu'en penses-tu ?

– Merci, merci, Cendrillon ! Tu es notre amie préférée », crièrent en chœur tous les souriceaux.

Gus, à peine remis de ses émotions, lui adressa un grand sourire, accompagné d'une caresse très douce sur la main.

Après avoir aidé ses amis, Cendrillon descendit allumer le feu dans la cuisinière. Elle devait préparer le petit déjeuner pour Javotte, pour Anastasie et aussi pour leur mère, bien entendu ; pour Pataud, le bon chien qui regrettait encore et toujours la mort de son maître, et pour le méchant Lucifer, l'horrible chat de la maison, dont le seul but était de dévorer les souriceaux qui passaient à sa portée ; pour les poules, pour les lapins, pour tout le monde en somme…

Le matin, c'était toujours la même histoire : le gros Lucifer se postait entre les souriceaux et la basse-cour où se trouvait le grain du petit déjeuner. Or Cendrillon avait trop à faire pour aider ses amis.

« J'ai une idée ! dit Jaq, le plus malin d'entre eux. L'un de nous se chargera de détourner l'attention de Lucifer, pendant que les autres iront grignoter… Tirons à la courte queue pour savoir qui se dévouera. »

Le sort désigna Jaq…

Tandis que les souriceaux se ruaient dans la basse-cour, Jaq entama une danse sous le museau du sinistre chat, lui agaçant les moustaches et lui tirant les poils de la queue. Tchac ! D'un coup de patte, Lucifer lui fit mordre la poussière.

« Cette fois-ci, mon bonhomme, je te tiens ! Et je ne suis pas prêt à te laisser filer ! » se dit le matou, toutes dents dehors.

Heureusement Jaq vit un balai qu'il fit basculer sur le matou. Bang ! À moitié assommé, Lucifer lâcha prise, tandis que Jaq se réfugiait dans un trou de souris... Ouf !

Pendant ce temps, Cendrillon accomplissait ses tâches du matin. Après les animaux de la maison, il était grand temps de s'occuper de Javotte et d'Anastasie, ainsi que de leur mère. Les deux sœurs l'avaient déjà sonnée à plusieurs reprises :

« Cendrillon ! Mais que fait cette petite sotte ? Cette attente est insupportable !… »

Drelin ! Drelin ! Vite ! Une théière pour l'une, du chocolat pour l'autre et des tartines beurrées pour les trois pestes ; sans oublier du linge propre et fraîchement repassé pour ces demoiselles, qui sortiront sans doute se promener toute la matinée…

« Bonjour, Javotte ! Bonjour, Anastasie ! Avez-vous bien dormi ? demanda gaiement Cendrillon en entrant dans leur chambre.

– Tais-toi, parle moins fort ! lança Javotte. Tu nous écorches les oreilles avec ta voix stridente.

– N'ouvre pas les rideaux ! Ce soleil nous aveugle ! Tu ne comprendras donc jamais rien, ma pauvre fille ? »

Sans répondre, Cendrillon sortit lentement de la chambre, le cœur gros de tristesse.

« Arrête de lambiner, Cendrillon ! Il y a du travail qui t'attend ! Je veux que tu nettoies le carrelage du hall deux fois par jour. As-tu vu l'état des rideaux ? Tu ne sais pas t'organiser. Cette maison est vaste, c'est vrai, mais tu es jeune, tu es forte et tu n'as que trois personnes à servir !

– Mère, balbutia Cendrillon, j'ai déjà frotté le carrelage ce matin et j'ai nettoyé tous les rideaux la semaine dernière…

– Silence, petite insolente, quand je te fais des remarques. D'ailleurs, c'est pour ton bien, mon enfant… », susurra perfidement la marâtre, un sourire hypocrite aux lèvres.

« Mon pauvre Pataud, tu te souviens, quand papa était encore là, comme la maison était gaie. Maintenant, on n'entend plus que des hurlements. »

Pataud approuva avec un bref aboiement.

« Je suis sûre qu'un jour, mon prince viendra. Il se tiendra sur le seuil de notre maison ; il me tendra la main, et nous partirons tous les deux… Allez, viens manger, Pataud ! » conclut Cendrillon tristement.

Non loin de là, au palais royal, le roi se désespérait.

« Vous rendez-vous compte ! Je ne suis plus tout jeune, tant s'en faut. Je ne rêve que d'une chose : devenir grand-père, dorloter mes petits-enfants. Et savez-vous ce que mon benêt de fils répond quand je lui en parle ? " Père, je n'épouserai qu'une jeune fille que j'aime ".

– Je sais, Majesté, je sais, répondit le grand-duc.

– Il faut que cela cesse. Organisons dès ce soir un grand bal au palais où toutes, je dis bien toutes, les jeunes filles à marier du royaume seront conviées. Dépêchez-vous : tout doit être parfait ! »

Toc, toc, toc ! Un messager royal se présenta chez Cendrillon.

« Bonjour, mademoiselle ! Une lettre du roi. Très urgente, m'a-t-on dit. Il y a un grand bal ce soir au palais. Toutes les jeunes filles sont attendues. Excusez-moi, je ne peux guère m'attarder. Comme vous pouvez voir, j'ai beaucoup de courrier à distribuer. »

« Toutes les jeunes filles ? Même moi ? » pensa Cendrillon, le cœur battant.

Javotte et Anastasie, tout excitées, ne tenaient plus en place à l'idée de rencontrer le Prince…

« Je serai la plus belle ! vociféra l'une.

– Non, ce sera moi ! hurla l'autre.

– Mère, murmura Cendrillon, puis-je aller à ce bal ? L'invitation précise bien : toutes les jeunes filles.

– Ah ! non, pas elle, maman. Elle nous ferait honte, elle est trop souillon, protestèrent les deux sœurs d'une même voix grinçante.

– Finis d'abord la poussière, dit la marâtre, puis déniche-toi une robe correcte. Après, nous verrons... »

Cendrillon s'attendait tant à un refus de sa belle-mère, qu'elle se mit au travail avec entrain. Plus vite elle aurait fini, plus vite elle pourrait s'occuper de sa parure... Car Cendrillon possédait, bien pliée dans un vieux coffre, une robe qui avait appartenu jadis à sa mère. Bien sûr, elle était un peu démodée. Mais avec de l'imagination et quelques coups de ciseaux bien placés, tout pouvait s'arranger. Et Cendrillon frottait son carrelage, remarquant à peine les traces noires laissées volontairement par Lucifer.

Gus et Jaq avaient décidé que Cendrillon serait la plus belle d'entre toutes. Ils se faufilèrent bravement jusque dans la chambre où Javotte et Anastasie virevoltaient en braillant :

« Où est mon jupon tuyauté ?

– Javotte, veux-tu ce collier ? Moi, il me donne un teint blafard.

– Non, il est trop laid. Personne n'en voudrait, pas même Cendrillon… » cria-t-elle en le brisant.

Sur une jolie personne, tout devient joli. Pas vrai ? Gus et Jaq, qui en étaient persuadés, se précipitèrent pour ramasser les perles dédaignées par les pimbêches.

Dans la mansarde, tous les amis de Cendrillon s'activaient. Quelle jolie surprise quand elle monterait, fatiguée, une fois son travail terminé. La robe de sa maman serait remise à neuf, ornée de rubans roses et du splendide collier récupéré par les deux souriceaux. La marâtre n'aurait plus rien à dire : maison briquée, robe achevée ! Cendrillon serait la reine du bal ! Souris et oiseaux chantaient en travaillant, maniant, qui les ciseaux, qui les aiguilles…

« Oh ! mes amis, comme c'est réussi… Merci, merci. Grâce à vous, ce sera le plus beau soir de ma vie. Je vais voir le Prince et le Prince me verra. Il m'invitera à danser, nous valserons longtemps dans la grande salle de bal. Les lustres étincelleront, la musique ruissellera. »

Cendrillon rêvait, laissait courir son imagination. Car, après tout, elle n'avait jamais été au bal d'un prince, mais ce soir, elle se rendait au pays de ses rêves !

La marâtre et ses filles s'apprêtaient à partir lorsque Cendrillon descendit fièrement l'escalier, en tenant les volants de sa robe pour ne pas la froisser.

« Oh ! maman, Cendrillon m'a pris mon collier ! Je l'ai cherché partout. Il me va si bien ! Ce n'est pas pour toi, voleuse ! »

Et d'un geste brusque, Anastasie arracha le collier du cou de Cendrillon. Les perles s'échappèrent en pluie et roulèrent sur le carrelage du hall.

« Et ce ruban ? hurla Javotte. Il est à moi ! »

De ses deux mains, elle se pendit à la robe de Cendrillon qui se déchira avec un craquement sinistre.

« Oh, je suis désolée, ma pauvre Cendrillon, ricana la marâtre. Comme te voilà vêtue maintenant, nous ne pouvons guère t'emmener au bal, tout le monde se moquerait de toi ! Je te l'ai toujours dit : tu n'es pas soigneuse ! C'est dommage, pour une fois, tu aurais pu regarder les autres s'amuser... Allons, venez, mes chéries. Ne nous mettons pas en retard : le Prince nous attend. »

Aveuglée par les larmes, Cendrillon s'enfuit au fond du jardin. Le monde était trop cruel !

« Sèche tes yeux, ma mignonne ! C'est l'heure d'aller danser, et non de pleurer… »

Qui parlait ? Surprise, Cendrillon leva les yeux. Sa marraine, la bonne fée, était là, toute souriante.

« Debout, ma belle, nous avons fort à faire. Tout d'abord, apporte-moi la plus grosse citrouille du potager. Abracadabri, abracadabra, voilà un bien joli carrosse. Et vous, les souriceaux, venez par ici. Hop li, hop là ! voilà quatre élégants chevaux ! Quant à ce vieux Pataud, il fera un bon laquais qui t'escortera jusqu'au palais du Prince. Parfait ! Tout est prêt, n'est-ce pas ? »

« Marraine, tout cela est bien beau et je vous remercie. Mais… croyez-vous que je puisse aller au bal dans cette robe déchirée ? » murmura timidement Cendrillon dont la tristesse s'était envolée.

« Où ai-je donc la tête, ma pauvre chérie ? Approche-toi, que je prenne quelques mesures. Ne t'inquiète pas, tu seras éblouissante. Et tes petits souliers de verre te feront le pied si léger, si léger que le Prince te soulèvera comme une plume quand vous valserez, les yeux dans les yeux… »

La bonne marraine pleurait presque d'émotion à la pensée du bonheur qui attendait sa filleule. Mais cela ne l'empêchait pas de s'activer : il ne fallait rien oublier !

« Marraine, grâce à vous, j'ai l'impression que ma vie recommence... Merci.

– Ne me remercie pas tant. Écoute plutôt ce que j'ai à te dire : au douzième coup de minuit, toutes ces belles choses s'évanouiront. Adieu diamants, bonjour guenilles ! Tu dois quitter le bal avant !

– Oui, oui ! Au revoir, marraine ! » Et Cendrillon, légère comme un oiseau, sauta dans son carrosse.

Le bal avait déjà commencé lorsque Cendrillon arriva au palais. Les demoiselles à marier défilaient devant le Prince, qui leur accordait un regard morne et un sourire poli. Pas une seule ne l'intéressait.

Brusquement, il se dressa sur son trône. Une jeune fille, plus radieuse que le jour, s'avançait vers lui.

« Mademoiselle, dit-il en s'inclinant jusqu'à terre, me ferez-vous l'honneur de m'accorder cette danse ? Et toutes les suivantes ? »

Cendrillon, car c'était elle, accepta d'un hochement de tête, trop émue pour parler. Il l'enlaça et ils se mirent à tourner, tourner, tourner…

Le temps s'envole quand on est heureux. Le temps s'envole quand on est amoureux… Cendrillon et le Prince se sentaient seuls au monde : ils marchaient lentement dans le parc, main dans la main, sans prononcer un mot. À quoi bon parler, si le bonheur vous appartient.

Cendrillon avait oublié jusqu'à sa vie misérable, ses horribles sœurs, sa méchante marâtre. Seule comptait cette soirée, qui devait durer une éternité…

Ding ! Ding ! Ding !... Cendrillon sursauta, puis s'arracha à cet instant délicieux.

« Minuit, balbutia-t-elle. Je dois vous quitter. Merci, merci... » Et elle s'enfuit dans la nuit.

« Je ne sais même pas votre nom ! cria le Prince désespéré. Attendez ! »

Mais Cendrillon s'était déjà évaporée et les quatre chevaux-souriceaux l'emportaient au grand galop.

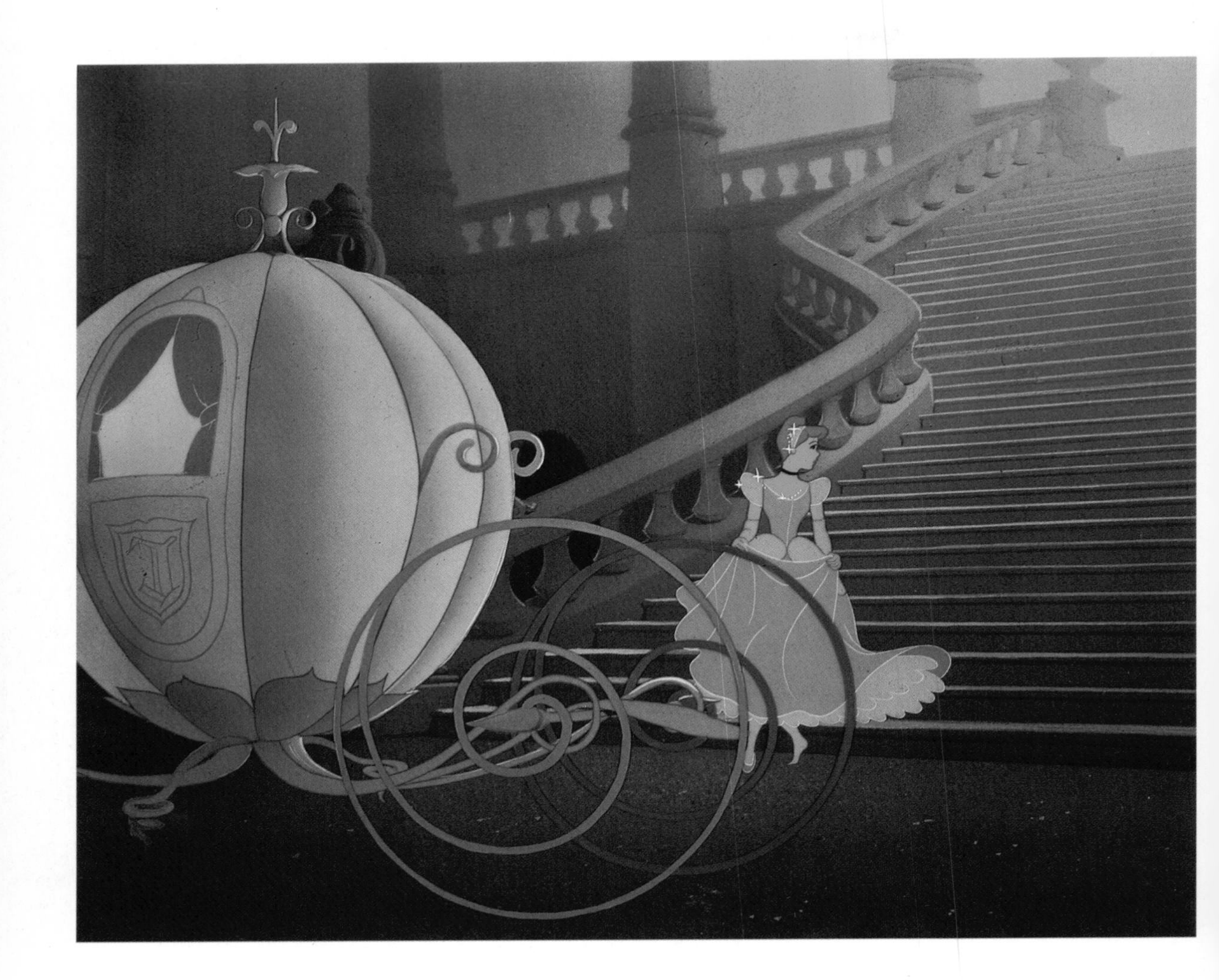

Le grand-duc se précipita dans l'escalier derrière la fugitive. De la jolie jeune fille qui semblait tant plaire au Prince, il n'y avait plus trace, hormis son soulier, le plus joli et le plus fin qu'on eût jamais vu, abandonné sur une marche.

Le grand-duc le ramassa doucement et l'apporta au Prince qui le serra contre son cœur.

« Grand-Duc, déclara-t-il, je vous ordonne sur-le-champ de faire essayer cette pantoufle de verre à toutes les jeunes filles du royaume, sans exception… J'épouserai celle qui pourra la chausser. Vite, ne perdez pas une minute, je vous prie. Je veux revoir ma bien-aimée. »

Comme l'avait prédit la bonne fée, Cendrillon se retrouva en haillons au douzième coup de minuit. Le carrosse redevint une grosse citrouille, plantée au milieu du chemin. Plus de chevaux, mais des souriceaux !

L'équipage fit à pied le reste du trajet. Cendrillon marchait comme dans un rêve. D'ailleurs, avait-elle vraiment vécu cette merveilleuse soirée, avait-elle vraiment dansé dans les bras du Prince, s'était-elle vraiment promenée avec lui ?

« Heureusement, il me reste un souvenir merveilleux pour être sûre que je n'ai pas rêvé ! »

murmura-t-elle en serrant son soulier sur son cœur.

Pendant ce temps, au palais royal, l'atmosphère était à l'orage.

« Mais enfin, Grand-Duc, vociférait le roi, qu'attendez-vous pour retrouver la fiancée de mon fils ? Descendez de ce lustre, au travail, fainéant !

– Majesté, si vous ne me poursuiviez pas avec votre grande épée, je serais déjà en route... », balbutia le pauvre homme terrorisé.

Accompagné de son valet, le grand-duc fit essayer le soulier de verre à toutes les jeunes filles du royaume. Mais aucun pied ne pouvait s'y glisser : ils étaient soit trop longs, soit trop gros. À chaque fois, le grand-duc ne disait mot, reprenait doucement la pantoufle avec un petit sourire triste à la jeune fille de la maison, avant de se diriger vers la sortie.

« Je finis par me demander si le Prince ne l'a pas rêvée, sa princesse idéale », confia-t-il à son valet.

Toc, toc, toc ! Cendrillon entendit qu'on frappait à la porte. Elle se précipita pour ouvrir et, dans sa hâte, renversa le plateau qu'elle portait.

« Cendrillon ! cria la marâtre, qui t'a permis d'abandonner ton travail ? Puisque c'est ainsi, tu seras punie. Au pain sec et à l'eau claire pendant trois jours, et, en attendant, monte dans ta chambre et ne redescends sous aucun prétexte ! »

Cendrillon voulut protester.

« Mais c'est le grand-duc, mère. Toutes les jeunes filles doivent essayer la pantoufle. Moi aussi, j'ai le droit. Je vous en prie. »

La marâtre ne se donna même pas la peine de répondre. Empoignant Cendrillon par le bras, elle l'enferma brutalement dans sa chambre. Puis elle donna deux tours de clé qui résonnèrent, lugubres, dans la tour déserte. Accablée, Cendrillon s'effondra en sanglots.

« Je ne reverrai jamais le Prince. Oh ! je me sens si seule, et si malheureuse !

– Fais-nous confiance, Cendrillon ! Nous sommes tes amis, nous allons te sortir de là ! Pas vrai, Gus ? »

Cendrillon esquissa un pâle sourire : que pouvaient deux souriceaux contre une horrible mégère ?

Dans le salon, la séance d'essayage battait son plein : c'était à qui passerait la première.

« C'est ma taille ! » hurlait Anastasie en balançant le soulier au bout de ses grands orteils tordus.

– Mademoiselle, protesta le valet, regardez votre pied ; le talon tout entier dépasse. Attention ! Vous allez casser la pantoufle...

– Ah ! vous croyez ! Je dois avoir les pieds gonflés après ce bal... », marmonna Anastasie, vexée.

Tandis que Javotte faisait mille coquetteries pour retarder l'essayage du soulier, Gus et Jaq ne perdaient pas une minute. S'accrochant au rebord de la table, l'un retenant l'autre par la queue, ils réussirent à repêcher la clé de la chambre de Cendrillon : elle était glissée au fond de la poche de la marâtre.

Puis, à pas de loup, mais trottinant comme des souris, ils entreprirent la longue ascension de l'interminable escalier de la tour.

Vite ! Vite ! Il fallait délivrer Cendrillon pour qu'elle essaye la pantoufle…

« Jaq ! Je n'y arriverai jamais ! Cette clé est trop lourde et cet escalier trop haut !

– Ce n'est vraiment pas le moment de gémir, Gus ! Garde plutôt ton souffle pour grimper. Aurais-tu déjà oublié comment Cendrillon t'a sauvé la vie pas plus tard qu'hier matin ? » le sermonna Jaq.

Gus baissa la tête, rouge de honte, puis reprit son escalade avec courage.

« Nous voilà, Cendrillon ! crièrent-ils en se faufilant sous sa porte. Dépêche-toi, le grand-duc va partir. »

Après maintes contorsions, Javotte avait réussi à entrer de force son pied dans la pantoufle.

« C'est moi que le Prince va épouser ! Je le savais ! » triompha-t-elle.

Mais son pied, comprimé à l'excès, se détendit brusquement, comme un ressort. La pantoufle de verre fit un vol plané à travers la pièce et se brisa en mille morceaux, sous l'œil navré du grand-duc.

Au beau milieu de ce drame, Cendrillon pénétra lentement dans le salon, plongé dans le silence. Sans un mot, elle prit place en face du pauvre grand-duc effondré.

« Hélas, mademoiselle, vous arrivez trop tard, le soulier est brisé et moi aussi d'ailleurs ! Jamais je n'oserai retourner au palais !

– Monsieur, n'est-ce point ceci qui vous fait défaut ? murmura doucement Cendrillon en sortant la seconde pantoufle de sa poche. Permettez-moi de l'essayer devant vous…

– Mademoiselle, vous êtes celle que le Prince recherche. Suivez-moi, vous me sauvez la vie ! »

Sans un regard pour ses deux sœurs et sa marâtre, vertes de rage, Cendrillon quitta la maison. Dès qu'il la vit arriver au palais, suivie du grand-duc ravi, le Prince la reconnut et se précipita vers elle :

« Enfin je vous retrouve, moi qui avais cru vous perdre ! Ma princesse, ma bien-aimée, m'accorderez-vous votre main ?

– Oui, mon Prince, car vous êtes celui dont j'ai toujours rêvé ! »

La cérémonie du mariage fut splendide. Javotte et Anastasie ne furent pas conviées, en revanche on avait réservé les meilleures places aux souriceaux, revêtus pour la circonstance de leur tenue de gala !

« Ma princesse, murmura tendrement le Prince à l'oreille de Cendrillon, prenez mon bras pour descendre cet escalier. Il ne s'agit pas de perdre votre soulier, aujourd'hui…

– Mon Prince, répondit celle-ci, je n'ai désormais plus aucune crainte, puisque je vous ai trouvé ! »

On dit que leur mariage fut très heureux et que le roi eut beaucoup de petits-enfants…